散文へのプロセス

JN094011

目次

I　散文とは

　散文は論説ではありません。だから何かを解明したりもしません。それはある混乱した、とても語りづらい対象を腑分けし、区別整理して淡々と説明する行為です。といっても、原因と結果の連なりに変えて、因果論的に説明するということではありません。複雑で混乱した対象は、雑多な要素の非因果論的な融合物であることが多いので、ただそれを丁寧に分解し（そもそもそれが難しいことなのでしょうが）、目の前に並べてみせるのです。

　このことを 500 年以上前に考え、まさに論説とは違った風に語ったひとがいます。

> 私は自分について、絶対的に、単一に、決定的に、混乱や混合なしに、ただの一語だけで言えることは何もない。Distinguo（私は区別する、見分ける）というのが、私の論理のもっとも普遍的な要素である。[1]

これは 16 世紀のエッセイスト、モンテーニュの言葉です。今、語るという表現を使ったので、もうひとつモンテーニュから引用します。

> 私は万事談話風に語る。何一つ意見（あるいは論説）風には

1　堀田善衛『ミシェル　城館の人　第一部　争乱の時代』* 集英社文庫、2004 年、396 頁（モンテーニュ『エセー』の邦訳は複数ありますが、堀田善衛が『ミシェル　城館の人』でみずから訳し引用したものがある場合は積極的にそれを利用します。）

述べない。[2]

散文は論説ではない、という私の冒頭の一文も、モンテーニュをふまえたものでした。正確にはこれを訳した堀田善衛もふまえた、と言うべきかもしれませんが。堀田善衛についても、しばらくあとで言及するつもりです。

2　堀田善衛『ミシェル　城館の人　第二部　自然　理性　運命』集英社文庫、2004年、67頁

◆

　さてモンテーニュがさきほどの引用で挙げた語る対象が、モンテーニュ自身だというのは重要です。自分自身というのはやっかいな対象で、それまでの人生のなかで、個人的な性格や好みや意志に偶然の契機が作用し、いつのまにか出来上がっている。でもどうしてこんな自分になったのか、今となっては自分でもよく分からない。今の自分を形成する基礎になったはずの、しばらく前の自分のことさえ、忘れていたりするものです。

　自分自身というものは語りづらい。とくに、それが語られることを欲している、あるいは語られねばならないときは。というのもそういうときの自己は、ありきたりの生半可な説明（初対面同士の自己紹介のときのような）ではとうてい収まりがつかない、往々にして危機的な状況にあるからです。

◆

　モンテーニュは『エセー』という文章を残しました。なの
に私がエッセイではなく散文という言葉を使いたいのは、モ
ンテーニュにはいちいち賛同し、その語りに感服する一方で、
エッセイという言葉が、その後の長い歴史のなかで、何かひ
とつのスタイルのように思われているからです。どんな文章
にも、ということは散文にも、何らかのスタイル（様式）は
あるかもしれない。しかし、すきあらば定型化したり格好い
い言い回しに収まろうとする言葉独自の運動を抑え、できる
だけ対象のかたちに即し無様式に徹する。散文という言葉に
は、そういう意味を込めています。堀田善衛の、モンテーニュ
を念頭にした言い回しを引用するなら、

　　当り前のことを、当り前の口調で語る[3]

と言ってもいいかもしれません。

3　『ミシェル　城館の人　第一部』358頁

◆

　次に引用する言葉も、私が散文のモットーのように勝手に
とらえているものです。勝手にというのは、この言葉はもと
もと、13世紀の教会の柱頭装飾についての言葉だからです。

　　その表現の逐語訳的正確さとかスタイルの欠如は、これらが
　　初めて人に見られたものであることを証明する。[4]

逐語訳的正確さとスタイルの欠如。冗長になることを恐れず
に、目の前の対象を丁寧になぞる。その結果生まれる言葉は、
スタイルといった言葉から連想される洗練からは遠ざかって
しまうでしょう。

4　ケネス・クラーク『風景画論』**佐々木英也訳、ちくま学芸文庫、2007年、24頁

◆

　とはいってもやはりよい散文というものはある。でもそれ
はスタイルとは基本的に関係がない。対象を正確になぞると
いっても実は簡単なことではなくて、それが成功したとき、
おのずと散文が成功している。

　私がこういうことを言うとき思い浮かべている作家のひと
りに、1950年代から80年代にかけて活動した島尾敏雄とい
う作家がいます。モンテーニュは「談話風に語る」と言って
いましたが、たしか評論家吉本隆明が島尾の文章を評して、
彼は話すように書く、と言っていました。いや、そういう文
章を読んだ記憶があるのですが、折に触れその言葉の出所を
探してもなかなか見つかりません。ひょっとしたら勘違いな
のでしょうか。

　話すように書く、とはどういうことか。ここで、小説や演
劇などの会話シーンを思い浮かべてはいけません。いかにも
会話風な会話を、日常の私たちは実はしていません。会話の
内容、相手、その時の自分の気分などに応じて、砕けた感じ
になったかと思えば、思っている以上に堅苦しく真剣になる
こともあります。会話だから通じるかなり省略した話し方に
もなれば、くどくどと続くこともある。フィクション上の会
話のように、同じような調子で続くとは限らないのです。

◆

　さきほど、対象のかたちに即する、という表現を使いました。言葉の論理で対象をねじまげるのではなく、あくまでも対象に寄り添うならば、対象のかたち、凹凸にあわせて語りの調子も変わるはずなのです。ふたたびモンテーニュを、しかも今度はかなり長い文章ですが引用します。

> 世にはたった一つの美しい言葉を追いかけて本道から四里半もそれて行く愚か者がいます。「事柄に言葉を合わせるのでなく、言葉に合った事柄を探し求めて、事柄からはずれてゆく」のです。また、別の人はこう言っています。「中には自分の気に入った言葉にひかれ、はじめには論ずるつもりのなかった事柄にはいってゆく者もいる」と。私はむしろ、私の文章の中に縫い込むために、名言をねじ曲げるほうを好みます。名言を求めるために私自身の議論の筋をまげたくはありません。逆に言葉のほうが奉仕し、服従すべきものであります。（中略）私は事柄が優越し、聴く者の心が事柄でいっぱいになって、用語のことなど何も覚えていないようであることを欲します。私の好む話し方は、単純、素朴で、紙に書いても話しても同じ話し方であり、豊かで、力強く、簡潔で、無駄のない話し方です。繊細優美なのよりも激しく荒っぽい話し方であります。（中略）私の好きなのは、冗長なのよりはむしろごつごつした話し方であり、いささかも気取りがなく、型にとらわれない、きれぎれの、大胆な話し方です。[5]

モンテーニュは簡潔さを肯定し、ひとまず冗長であることを否定しているように見えます。ですが彼が否定しているのは、

---

[5]　モンテーニュ『エセー1』***原二郎訳、岩波文庫、1965年、323〜324頁

言葉の力に支配されて多弁になることであり、対象を誠実に
語ろうとして冗長になることは否定していないのではないか、
と個人的には思っています。

◆

　こうしてできあがった散文は、流麗とは程遠いでしょうが、読む人に対象のかたちをはっきり感じさせることに成功しているとき、その散文も、何かある手ごたえを感じさせるかたちを獲得しているのではないでしょうか。

　島尾敏雄の代表作『死の棘』に次のような印象的な一文があります。

　　妻が発作の最中にそれがあなただとあざやかに描きだしてくれた私のこころとからだのかたち。[6]

文章というものは前後の文脈もあって成立するものですから、唐突にこんなことを言っても納得してもらえないとは思いますが、この一文じたいが、自分自身の「かたち」についての文章でありながら、同時に散文としてひとつの「かたち」を獲得しているような気がします。

6　島尾敏雄『死の棘』**** 新潮文庫、1996 年、144 頁

　話は変わりますが、成功した散文には、読み手に与えるある積極的な効果がある気がします。島尾敏雄は、小川国夫という作家について、彼の文章を読むと、書くことがおっくうだった自分が書こうという気分になっている、というようなことを言っています。[7]内容についてどうこう言う以前に、彼の文章を読むと書きたくなると言うのです。

　どうしてそういうことが起こるのか。作家が、自分の文章について説明した文章（それこそエッセイなど）はあります。ただそういう文章を読んだところで、その作家について学ぶところはあるにしても、自分が書きたくなるということはあまりないでしょう。その一方で、内容はそんなこととは無関係なのに、今その作家が書いている様子が想像されるような文章がある気がするのです。手を動かして書いている感じが何となく伝わってきて、それがおのずと自分も手を動かしたくなる気持ちに誘うと言いますか。書いている過程について説明するのではなくて、何かまったく無関係な対象を描いている文章が、その過程を自然と感じさせ、それを読んでいるうちに自分も書く体勢になっていると言いますか。

　以前島尾敏雄についての本に短文を二、三寄稿したことがあるのですが、そのなかで私はこういう表現をしました。「このような散文は、読み手の意識を、書かれた内容を越えて書き手の手つきへと向けていくものだ。」[8]あとでその本を読み返

7　島尾敏雄「一冊の本　小川国夫『アポロンの島』」（『島尾敏雄全集第14巻』晶文社、1982年、208〜211頁）

8　『検証島尾敏雄の世界』島尾伸三・志村有弘編、勉誠出版、2010年、147頁

してみたところ、自分が何度も「散文」という言葉を使っていることに気づきました。散文という言葉がどうも自分のなかで気になっているようだ、と意識されたのはこのあたりだったかもしれません。

◆

小川国夫を、こういう散文の作家だと言うと首をかしげる方もいるかもしれません。私はある程度そうだと思っていますが。あるいは、彼は非常に視覚的な作家で、島尾のように内面を執拗に描くというよりは、あるイメージを的確に描きだすのが巧みなのですが、その視覚的正確さが、対象（それは外的なものとは限りません）のかたちに即する散文と通じるのかもしれません。

I 掲記書籍

*   **   ***   ****

堀田善衞
『ミシェル 城館の人
第一部 争乱の時
代』
集英社 、2004

ケネス・クラーク著、
佐々木英也 翻訳
『風景画論』
筑摩書房、2007

モンテーニュ 著、
原二郎 翻訳
『エセー』
岩波書店、1965

島尾敏雄
『死の棘』
新潮社、1981

Ⅱ　芸術家が語ることと散文：近代的芸術観

　話が理想的な散文、すぐれた散文の方に行ってしまったので、もっと散文的な、本来の散文（？）に戻りましょう。

　散文が得意とする対象として、自分自身のこと、事情が複雑に入り組んでいて語るのが難しいこと、あるいは語れないと思っていること、などを挙げました。その例にちょうどよいのは何かと考えていて、芸術家の語り、ということを思いつきました。芸術家は作品という形で何かを表現しますが、いくらそこにコンセプトや理論や技術など、比較的説明しやすいものが介在していても、その根っこにはパーソナルなものや、さきほど作り手の「様子」や「手つき」という言葉で表現したような、リアルで具体的な作業の手続きというものがあるはずです。

　これを、表現の根源とそれが作品になるまでのプロセス、という風に言い換えてもいいでしょう。プロセスを経ることで、とても私的な根源を作品という一般的に鑑賞できる形で表現している、つまり他者に理解可能なものにしている点で、芸術家はすでに自分自身を語ることができているのかもしれません。そのせいか、自分の言いたいことは作品に表現されているので何も説明することはない、と言う芸術家も多いように思われます。

　ですが正確には、私的な根源はそのまま表現されているというよりは、それを原動力にして何か別なものに変換・昇華されているということが多い。そしてそのプロセスの大部分はあまりにブラックボックス化されていて、普通の人がそれ

を感じることはほとんど不可能です。

　しかも出来上がった作品は、それ自体で自律し完成しているから自由に鑑賞されてよい、つまり作者の意図にとらわれる必要はないという考え方もあったりするので厄介です。そもそもこの根源とは、作品を成立させる契機の一部にしか過ぎないのだから、それをわざわざ語る必要はない、とも言えるでしょう。

　たしかに作品を鑑賞するだけであれば、それらは必要ではないのかもしれません（私は必ずしもそう思ってはいませんが）。ですが芸術家が作品を生み出すまでのプロセスを知ることは、作品は措いておいても、芸術家でない人びとにとって実は有用ではないかと思います（もちろん、完成した作品とともに知るほうがより有意義ですが）。それは芸術家が行う芸術的思考というものが、そういうものなしに生活している人びとの世界を拡大し、思考を柔軟にする気がするからです。

　私的な根源を元手に自分の生活・仕事を堂々と営んでいるのは芸術家しかいません。ふつうは、あまりにパーソナルなことは生のまま表現しても面白くないし人の興味をひかない。でも芸術家は、何らかのプロセスを経ることで変換、表現、あるいは昇華ができている。でもこのパーソナルな部分は、芸術家だから特殊ということはない。実は他の人びとも本質的に変わらないのです。これは芸術家を過小評価しているわけではなく、むしろふつう（とされる）の人のそういう部分も、芸術家のそれにおとらず厄介で複雑だと言いたいのです。そして誰であれそれに直面する事態に陥ったとき（芸術家は、普通の人びとよりも仕事柄日常的に直面せざるをえないので、その点がふつうとは違う、とは言えるかもしれません）、あの

芸術的思考が何かの助けになるかもしれない。

　芸術家だって同じ人間であり、その思考は非芸術家とそう変わるものではありません。両者は地続きなのです。なのに一般的には、芸術家とは変わった存在で、その考えは一般人には理解できないと考えられがちです。こういう作り手と鑑賞者の間の溝は埋めた方がいい、その方が両者にとって幸せなことではないか。これは、芸術を高尚なものと考えすぎることに疑問を持つ私の芸術観にも関わっています。

◆

　芸術家は、作品の根源や作品化のプロセス、あるいは芸術的思考についてもう少し語るべきだ。といっても派手に語るのではなく（それは結局、芸術的思考を特別なものに見せ、ふたたび非芸術家を芸術的思考から遠ざける気がします）、淡々と、自分自身でもそれを確認（あるいは発見）するように披露すること。これは鑑賞者のメリットになるだけではありません。言いたいことはすべて作品に表現されているのだから、これ以上語ることはない、という言葉がよく芸術家の口から聞かれると言いましたが、本当に語ることはないのでしょうか。そのとき芸術家は、何か無理をしていないでしょうか。

◆

　なぜ芸術家は語りたがらないのか。これは近代の芸術観に原因があります。先ほど、芸術家と非芸術家のあいだは地続きだと言いました。しかし近代的芸術観の本質はまさにその逆、芸術家を一般社会から孤立させ、孤高の存在にすることにあります。分かりやすく言うと、芸術家は天才であり、インスピレーションを受けて創作し、そこに一般人の理解はおよばないものだ、ということです。

　芸術や芸術家とはそういうものだという考え方が普遍的に正しいと思っている人がもしいたら、こんな考え方は200年少々前にヨーロッパで生まれたものだということを知ってほしいのです。これはだいたいロマン主義が始まる頃と同じです。それまでの芸術は王侯貴族のもので、芸術家よりも鑑賞者の地位の方が高かったし、さらには鑑賞者側も芸術についてのある程度の知識を持っていたので、芸術に対する理解はかなり具体的でリアルなものだったでしょう。近代的芸術家意識にめざめた芸術家がそれ以前からたまにいたとしても、作品の精神的内容は、キリスト教や歴史や古典といった大きな枠組みのなかに組みこまれていて、そういう前提は鑑賞者も共有していました。

　ところがロマン主義以降、個人の内面世界の掘り下げとともに、表現はどんどん自由になり、拡大複雑化して行きます。その一方では、芸術が大衆化して貴族以外にも開かれて行ったので、芸術についての共通認識を持つことは急速に困難になって行ったでしょう。それでも新しい芸術鑑賞者層は芸術に憧れました。そこには貴族的生活に参入したいという思いもあったかもしれません。こうして、理解できないながらも

憧れる存在としての芸術家の地位は向上し（といってもそこには半分変人扱いの側面もあったわけですが）、彼らは神秘的な存在になっていったのです。

　こういう芸術家像は芸術家にとってそう悪いものではないのかもしれません。ですが、孤高で、妙な言い方ですが、変わっていないといけないという意識は、彼らに過剰なプレッシャーを与えます。

　じっさいどうなのかは分かりませんが、芸術家は誰でもある程度天才でありたいと願い、あるいは、天才の何がしかを自分も持っていると思っているのではないでしょうか。生活が不安定な芸術家、社会的にはそれほど成功していない芸術家はとくにそうかもしれません。孤高の芸術家というイメージは、ある意味精神的支柱になり得る。でもその支えは当人を袋小路に追いこむものかもしれません。

◆

　もう 10 年以上前に翻訳した本が、まさにここまで語ってきたような内容を扱うものでした。訳者のあとがきに私はこんなことを書いています。

　　　芸術はなぜもっと当たり前のものとして考えられないのか、芸術家はどうして生活していくのが大変なのか、と常々考えていた訳者としては近代芸術観の批判が効果的に行われている本書はとても魅力的に映った。

　　　芸術家がごく当たり前の生活を送れればそれで十分なのだが、と思うのである。かつては、そして相当程度は現在も、芸術家はまったくお金に縁がないか、巨額の金を積まれるスターかのどちらかであった。（中略）芸術、芸術家という古風なアイデンティティをある程度維持しつつ、「穏やかな生活形態」を営むことはできないものだろうか？[9]

　今語っていることをいつごろから考えていたのか、もはや自分でも分かりません。「常々考えていた」と言っているからにはその前から考えていたのでしょうか。いずれにしても、この翻訳を通じてようやく自分の漠然と考えていたことが整理されたというところでしょう。

9　ヴォルフガング・ウルリヒ『芸術とむきあう方法』満留伸一郎訳、ブリュッケ、2008 年、227, 232 頁

◆

　日本で圧倒的に多くの芸術愛好家が訪れるのは、19世紀的な芸術観によって「天才」と認められた人の作品ばかりが並んでいる展覧会です。そしてそれを鑑賞する側は、自分とは無縁の天才の作品を仰ぎ見るように鑑賞する。

　今生きている芸術家が、お金に縁がないか金を積まれるスターか、という二択から脱するには、芸術家でない側の変化が必要です。歴史上の名作をありがたく鑑賞するだけのひとは、自分が芸術作品を購入する可能性などおそらく考えたこともないでしょう。この状況を変えるためには、まず芸術家側が変化しなければなりません。

　現代アートがよいのは、作り手が、人によるとは思いますが、まだ天才として聖別されていない、まつりあげられていない、というところです。ふつうの鑑賞者は、特別な存在に圧倒され、すごいなぁと感嘆しながら鑑賞したいのかもしれないし、そういう鑑賞法はある意味で楽でしょう。ですが現代アートを楽しむには鑑賞者側の歩み寄りも必要です。そのためにも、芸術家の方まで古風な芸術観に縛られて、何も言うことはないなどと壁を作らず、何でもいいから手掛かりなり足場を提供してほしい。溝を埋めるというのはそういうことです。

◆

　インターネット上で、あるクラシックの DVD の購入者レビューを見たときのことです。その DVD には、オーケストラの演奏の本番だけでなく、リハーサル映像も収録されていて、指揮者はしばしば演奏を止め、各プレーヤーに細かく具体的な指示を出していました。

　正確におぼえているわけではありませんが、その一般レビュアーは、リハーサルの様子を見て、演奏について軽はずみに良いだの悪いだのと言うものではないなと思った、というようなことを書いていました。

　みんな一生懸命やっているんだから批判するな、ということではありません。もちろん作品は批評されないといけない。ここで言いたいのはそういうことではありません。

　この手の一般レビューは、開かれていて一見自由なように見えますが、まるで自分も批評家としての責任を担っているかのような真剣な、悪く言えば悲壮でものものしい調子のものが時にあります。そういうレビュアーからは、古典とか名作とかいった固定した価値観から物事を考え、最終的な完成形だけを念頭に置いていて、そこに演奏を作り上げる過程があることを考えたことがない、という印象を受けます。彼らは、モンテーニュの言葉を借りるなら、「絶対的に、単一に、決定的に、混乱や混合なしに」語る。これはだめ、あれは名演だ、といった感じに。

　先ほどのレビュアーは、リハーサル映像を見たことでプロセスというものを意識し、言ってみれば、初めて芸術に具体的かつリアルに出会ったのではないでしょうか。この後もこのレビュアーがレビューを書くことがあったのかは分かりま

せん。二度と書かなかったかもしれませんが、プロの批評家ではないのですから、混乱や混合もそのままに、感じ考えたことを書いていたら面白いと思います。

◆

　話が逸れたついでに演奏者側にも触れると、世界的にメジャーな音楽家によくあるのですが、具体的なことをまったく話さずに、音楽に国境はない、というようなきれいで漠然としたことしか口にしない、ということがあります。これはこれで、何も語らないことと同じくらい問題があります。もしかしたら、そういう答えを演奏家に求める側の問題かもしれませんが。誰でも耳にしたことがあると思うのですが、本当のプロフェッショナルの語りは、けっして抽象的でもないし煽情的でもない。もっと地道でクールで具体的です。

◆

　他にも、芸術はひたすら感じればいい、考えずに感じろ、といった考えもありますね。これには、芸術体験は圧倒的なものだ、そうでなければならない、という思い込みがあるでしょう。ですが芸術を鑑賞する体験は、圧倒的なものばかりではない。感じるだけではないのです。

　圧倒的な芸術体験をした人はいるでしょう。予備知識も何もないまま、たまたま出会った作品に衝撃を受けるといったような。もちろんそれは素晴らしいことです。ですが、芸術体験とはすべてそういうものだということになると色々と問題が生じます。この場合も、芸術作品やそれを生み出す芸術家が鑑賞者よりも上の存在になってしまいますから。

III 考えていることをどう語るか

　ではここで、語りにくいことをどう語るかということを考えてみたいと思います。

　ローベルト・ムージルというオーストリア生まれのドイツ語作家がいます。1880年に生まれ1942年に亡くなりました。トーマス・マン、ジェームズ・ジョイス、マルセル・プルーストと同じような世代、モデルネと言われる、現代文学の基礎になった世代の作家です。代表作は『特性のない男』という長大な小説。一般的には知られていませんが文学の世界での評価は高く、邦訳もかなり出ています。

　その代表作『特性のない男』において、作家はエッセイズムという概念を披露しています。小説なのに概念を披露とはどういうことかと思われるでしょうが、この小説は、ストーリーを進めることとはひとまず無関係な、様々なことがらに関する考察をたくさん含んでいます。

　一応ドイツ文学者である身としての私の専門がこのムージルであり、私が「散文」という考えに行き着くことになったきっかけのひとつが、彼の提唱するエッセイズムであることは間違いありません。

◆

　まず『特性のない男』の第1巻第28章を見ていきましょう。この大長編は、第1巻123章、第2巻123章というシンメトリックな構造を取る予定でしたが、作者の死により第2巻の途中で未完のまま残されました。その第1巻第28章ですから、かなり最初の方です。この章がまさに、ストーリーとは直接関係のない

考察からなる章です。章名は、「思考の仕事に格別意見をもたない人なら、読み飛ばしてよい章」。タイトルからも分かるように、この章でのテーマは考えることです。正確には、考える人間を表現するとはどういうことか、ということです。

　さきほど芸術家の語りのところで触れた、俗にインスピレーションと言われるものについて、ここで非常にクールに説明されています。ちょっと読んでみましょう。

> 残念なことに文学では、考えている人間ほど描写しにくいものはない。ある偉大な科学者は、どうしてそんなに多くの新しい着想を得たのかと尋ねられたとき、絶えずそのことを考えていたからだ、と答えた。

こうこうこういう風に考えたからこれを思いついた、とは残念ながら言えない。何か文章を書いたり、作品について考えているときは、とにかくずっと、どうしようどうしようと考えている。その時ふと、何かあるアイディアがかたちを結ぶ。多分それを一般にインスピレーションと言っている。いずれにしても、こう考えていたから思いついた、ではなくて、とにかく考えていた。ずっとその事ばっかり考えていたら、思い浮かんだ、ということなんですね。

> そして事実、こう言い直しても差し支えないだろう——予期せざる着想は、それを予期して待ち望むこと以外の方法では生じない。

> この当惑の念は、昔は霊感と呼ばれたが、今では多くの人に直感と呼ばれている。そして彼らは、個人を超越した何かが、

これにひそんでいるにちがいないと思い込んでいる。

インスピレーションという言葉を使うとき、ひとは個人を超越した何かを想定しがちである。天啓として何かが降ってくる、というやつですね。もしそれが神のような存在からでなければ、当然天才という考えに行き着く。そういう考え方をムージルは取りません。非常にクールに、

> だがこれは、非個人的なものに過ぎず、つまり頭脳の中でめ
> ぐりあう物たちの間の親和性と相関性とに過ぎないのである。

と言い切ります。頭脳の中ではいろんなアイディアが、てんでばらばらに渦巻いている。ああだこうだ考えるというのは、この渦をただあてもなくかき回すことで、あるときたまたま、親和性・相関性のあるものどうしが近づいた時に、パッとくっついて何かが生まれる。そんなイメージでしょうか。

> だから考えるということは、それが完成していない限りは本来
> まったく惨めな状態で、それは大脳のしわ全体の疝痛に似ている。
> だが、いったん完成されてみると、それはもはや思考する形態（中
> 略）を持たず、思考されたものの形態をとってしまう。[10]

思考というものはただの混沌だけれども、思考が表現されたとき、それはある程度論理的な秩序を成している。この思考

---

10 『ムージル著作集第1巻 特性のない男Ⅰ』* 加藤二郎訳、松籟社、1992年、135, 136頁

しているプロセスが、先ほどから言っているパーソナルなものにあたり、だからこそパーソナルなものは何とも表現しづらい。とにかくずっと考えていたら何かを思いついた。しかしその結果を表現してみると、それはもう非個人的な、ある程度客観性を備えたものになっている。

　では結局自分が考えていることを、考えている様を語ることはできないのでしょうか。ここで言いたいのは、思考の萌芽から表現までを連続したものとして語ることはないということです。そもそもそれはムージルによれば不可能なはずだし、もしできたなら、それはあとから整理された物語と言ってよいでしょう。かといって何も説明せず、インスピレーションという一言で片付けるのもよろしくない。思考がまとまった表現を取る前の、混乱したかたまりのピースひとつひとつを、数え上げるように並べていけばよいということです。物語を語るプロではないのですから。

◆

　次に『特性のない男』第１巻第62章を見てみましょう。章名は「大地も、だがとくにウルリヒが、エッセイズムのユートピアに敬意を表すること。」つまりエッセイズムについて扱っている章です。この章が第62章、つまり第１巻全123章のちょうど真ん中に位置していることからも、『特性のない男』にとってエッセイズムがいかに重要かということが分かるでしょう。

　ウルリヒというのは主人公の名前です。彼は、どうも自分が考えていることはエッセイズムということで言えるんじゃないかと考える。エッセイは、対象を「全体的に把握」しない。

なぜなら、全体的にとらえられた対象は、たちまちにしてそ
　　の豊かな広がりをなくして、概念と化すからだ。[11]

全体的に、というのは俯瞰的にと言い換えてもいいでしょう。
俯瞰し全体像を持とうとするとそこに構成や論理が発生し、
その時点で、対象が本来持っていた混沌は失われ、整理され
ます。そうではなくて、腰を落とし、視点を低くして、目の
前に現れるものをその都度語る。ムージルは「段落が進むご
とに、多くの側面から取り上げるように」と言っています。
ですから俯瞰して整理した場合と違って、言っていることが
矛盾することもあるかもしれません。でもしょうがありませ
ん。対象が複雑で矛盾を孕んでいるのですから。
　ただ、混乱を混乱のまま語ればひとまず良しというのはプ
ロではないからで、作家ムージルはそこからさらに一歩進み
ます。これは、誰でも実践できる散文の試みと、すぐれた散
文の分かれ目に相当するでしょう。ムージルはこう続けます。

　　エッセイとは、決定的な思考が人間の内面生活にとらせる一
　　回限りの揺がしがたい形態である。[12]

　ここまでくると、ムージルがどんなものを考えていたのか
私にもよく分かりませんし、ムージルがそれを自分でどれく
らい実現できたと思っていたのかも分かりません。いずれに
しても注意しないといけないのは、「決定的な思考」などと聞

11　『ムージル著作集第Ⅰ巻　特性のない男Ⅰ』305頁
12　同上 309頁

くと、真理とか何かそういうもののような気がしますが、「一
回限り」というのはいわゆる客観的な真理ではないというこ
とです。客観的真理は反復可能なはずですから。エッセイは
そういう客観的真理ではないけれども、ある時ある状況下で
実現した、これしかないという表現のかたちらしい。これは
決して嘘や間違いではない、でも普遍化はできない。状況が
変わってしまえばその表現はもう当てはまらない。

　この、絶対的なものなのに普遍化できないというもどかし
い感じ。これはロラン・バルト（彼については最後に少し触
れます）が、強烈な体験を与える写真を前にして当惑した感
じと似ています。

　　いったいなぜ、いわば個々の対象を扱う新しい科学がないの
　　か？なぜ（「普遍学」ならぬ）「個別学」がないのか？[13]

　でも繰り返しますが、これは理想の話、表現が一回限りの決
定的なかたちを取ったときの話です。私たちはまずは「試み」
ればいい。まずは淡々と数え上げ並べることです。うまく行け
ば、それがあるとき、何がしかのかたちをなすかもしれません。

13　ロラン・バルト『明るい部屋　写真についての覚書』花輪光訳、みすず書房、1985 年、
15 頁

Ⅲ 掲記書籍

*

R. ムージル 著、
加藤二郎 翻訳
『ムージル著作集
第 1 巻　特性の
ない男 Ⅰ』
松籟社、1992

Ⅳ　散文の対象

　ここまでは自分のこと、あるいは自分が考えていることを語る散文は、どんなものであり得るかを考えてきました。ここで対象を拡大して、様々な散文の例、あるいは散文論の例を思いつくままに挙げていきます。

　その前に今更ですが、ここで散文という言葉の一般的な意味について確認しておきます。散文とはまず詩と対置されるものです。詩は、内容を表現する以前に外形上の様々なルール、約束があります。日本で言うと、短歌の五七五七七のような。そういう外的なルールがない、つまり自由に書くものが散文です。それだけだったらいいのですが、散文的という場合、普通はマイナスの響きがあります。だらだらとまとまりがなく冗長で、ようするに退屈な文章という感じです。

　もちろん私は散文を肯定的なものとして積極的に推したいわけですが、かといって散文的という言葉の通常の意味合いをすべて否定しようとは思いません。当り前のことですが、散文なのですから散文的であって当然です。散文は、散文的になることを恐れてはいけない。大事なのは言葉ではなく、語るべき対象だということを忘れてはいけないでしょう。

　散文は詩ではありません。さらには小説でもなければ論文（論説）でもない。小説には語るべきストーリーが（ということはドラマ性が）あり、論文（論説）には論理が必要です。ということは、散文はストーリーや論理にとらわれてはいけないということになります。もちろんかたくなにそういうものを否定する必要はありませんが、対象をおろそかにしてま

でこだわってはいけない、ということです。言葉である以上
論理は重要です。ですが終始論理を一貫させようと無理して
はいけない（論理を通すことを優先して対象を歪めてはいけ
ない）。そして一貫していないことを正直に認めるべきです。
論理的に考えられないと、自分が論理から外れていることも
判断できないでしょう。

◆

　調べてみると、散文という言葉を肯定的にとらえなおした
作家が80年以上前にいたようです。広津和郎という作家です。
戦前から戦後にかけて活躍しましたが、今ではほとんど読む
人はいないでしょう。とはいっても講談社文芸文庫や岩波文
庫に現役の本がいくつかあります。しかも2018年には、まさ
にこれから触れる講演「散文精神について」が復刊されてい
ます。

　広津和郎の「散文精神について」という講演が行われたのは、
昭和11年10月となっています。西暦では1936年。という
ことはこの講演は二・二六事件の約8か月後に行われたこと
になります。翌年には日中戦争がはじまり、日本はそれから
国家総動員法を経て太平洋戦争へ突き進んで行きます。

　　　この国にはアンチ文化の嵐が、今吹きまくっていると思われ
　　　るのであります。（中略）
　　　こういう時代に『人民文庫』の人達が散文精神を主張される
　　　のは、まことに理由なき事ではないと私には思われます。[14]

武田麟太郎というこれまた今や誰も知らない作家がいまして、
この人が人民文庫という雑誌を作りました。そしてこの時期、
人民文庫を中心に何人かの作家が散文精神というものを提唱
していたらしい。たまたま散文芸術について発言したことが
あった広津が、人民文庫の講演会に呼ばれたという事情のよ
うです。

14　広津和郎『散文精神について』＊本の泉社、2018年、79〜80頁

広津が言うアンチ文化の嵐とは何か。1925年に治安維持法が成立して以降、思想統制の傾向が強まっていき、プロレタリア作家たちを中心に次々と検挙、投獄されていきます。人民文庫は1936年に刊行開始していましたが、1937年夏に日中戦争がはじまるという情勢下で、雑誌自体は38年1月に発禁を食らったまま終刊となっています。その後国家総動員法が1938年春に施行。1940年以降は、情報局のもとであらゆる文化部門が国の統制下に置かれて行きます。「散文精神について」はそういうきなくさく息苦しい空気の中で行われたものでした。

　同じころ、日本浪漫派を中心にして、よりによってこういうご時世に、それともこういうご時世だからこそか、ロマン主義を主張する一派が表れます。古代への回帰や日本精神の称揚を、ものものしい言葉でうたいあげる保守的な性格が特徴です。最近もよく見られるようですが、日本のすばらしさを強調して、古来からの日本文化にのめりこむことで、彼らなりに文化弾圧という逆境を忘れようとしたのかもしれません。

　そういうロマン主義にとって、最高の文学形式は当然、詩だということになるでしょう。文学においては詩がもっとも上位にある。小説よりも上位にある。ということは散文なんか論外だ、ということになります（広津は散文という言葉で小説を指しているのですが、彼が評価する小説をあえて散文と呼んだ真意を考えれば、話をここまで進めることも許されるのではないかと思います）。言ってみれば、純粋な芸術に近づけば近づくほど偉いという考え方。

　そろそろお分かりだと思いますが、散文精神とは純粋さを

目指す精神とは正反対です。モンテーニュの言葉を思い出してください。そしてこの散文精神は、純粋に文学的な傾向として提唱されたのではない。戦争に向けて国全体を統制するために文化が管理されるという状況下で、ある抵抗として唱えられたものだったのです。

　ただし抵抗と言っても、決して声高なものではありません。長い引用ですが広津はこう言います。

　　　それはどんな事があってもめげずに、忍耐強く、執念深く、みだりに悲観もせず、楽観もせず、生き通していく精神——それが散文精神だと思ひます。（中略）現在のこの国の進み方を見て、ロマンティシズムの夜明けだと（中略）直ぐ思い上る精神であってはならない、と同時に（中略）直ぐ悲観したり滅入ったりする精神であってもならない。（中略）アンチ文化の跳梁に対して音を上げず、何処までも忍耐して、執念深く生き通して行こうという精神であります。じっと我慢して冷静に、見なければならないものは決して見のがさずに、そして見なければならないものに懾えたり、戦慄したり、目を蔽うたりしないで、何処までもそれを見つめながら、堪え堪えて生きて行こうという精神であります。[15]

私が惹かれるのは、広津の抵抗が、あくまでも静かでクールなものであろうと努めているところです。「生き通す」（その後の日本で、これを口にすることがいかに難しくなるか）とか、「どこまでも見つめる」という言葉が印象的です。右か左かに関係なく、大声で盛り上がるのは散文精神とは程遠いようです。

15　『散文精神について』80 頁

◆

　普通エッセイというと、作家が創作の片手間に、副産物
として考えたことについて気楽な感じで書くというようなイ
メージがあります。ですが広津の散文論にしても、エッセイ
の元祖であるモンテーニュにしても、世の中がものすごく混
乱して価値観が崩壊している状況のなか、どうにか自分を持
ちこたえようとしてたどりついたものです。このあと触れる
堀田善衞は、モンテーニュだけでなく『方丈記』の鴨長明に
ついても書いていますが、鴨長明も、数々の天変地異や大飢
饉に見舞われた世を直視し続けました。エッセイとか散文と
いうものは、本来作家の余技でも手すさびでもないのです。
　ムージルのエッセイズムもそうです。彼はこう書きます。

　　真理を欲するものは学者となり、おのれの主観をおもむくが
　　ままにしようと欲するものは、おそらく作家になろう。だが、
　　その中間にあるものを欲するものは、何をなすべきか？[16]

ムージルは作家のはずです。ですが彼の自己規定はふつうの
作家ではないようです。そんなエッセイズムの作家ムージル
が扱う「中間」地帯とは何か。端的に言うとそれは倫理とい
うことになります。真理でもなく主観でもない、倫理。ただ
これを道徳のようなものと考えてはいけません。道徳とかモ
ラルというのは、こういうことをしてはいけません、という
風に、固定した規範として人をしばります。もちろんそれは
社会を運営するうえで必要なものです。ですが世の中が混乱

16　『ムージル著作集第 1 巻』310 頁

すると、当然だとか常識だと思っていた道徳がとつぜん自明
のものでなくなり動揺します。そういう状況に直面した自分
は、さてどう行動するのか。自分が直面した時に、自分の問
題として考えるのを試されるのが倫理だと、ひとまず言って
おきます。こういう時に、自分で考えることを停止して大き
な存在に頼ることも、何でもいいやと自暴自棄になることも、
広津和郎がいましめていたことです。ムージルの言葉を続け
ます。

　　　ただ一つの問題だけが考えるに価する。それは正しい生き方
　　　の問題だ[17]

一方の極に、客観的な、ということは人間がいようがいまい
が存在する真理。もう一方の極に個人の勝手や主観。そのど
ちらでもない正しい生き方。これが正しい生き方だからそう
しろ、ということではなく、価値観が動揺しているなかで、
正しい生き方とは何かと問い考えること。
　作品というものは表現なわけで、表現は絶対に他者を必要
とするものであり、そもそも倫理的な行為なんだと思います。
コミュニケーションとか言葉といったものは、どうやっても
倫理的な問題と関わってくると思います。

17　同上 312 頁

◆

　次にイギリスの作家G・K・チェスタトンを取り上げたい
と思います。チェスタトンは、ブラウン神父が活躍するミス
テリーもので一般的には知られているかもしれませんが、バー
ナード・ショーなどと並んで、20世紀前半を代表するイギリ
スの、そしていかにもイギリスから生まれそうな、正統派保
守思想家です（ここで言う保守思想なるものが、伝統墨守の
硬直したものではなさそうだということはもう予想がつくで
しょう）。

　チェスタトンの文章は個人的にも好きなんですが、じつは
ムージルも、晩年になってチェスタトンを発見し、自分ととて
も近い質を持っていると考えていました。

　この人の『棒大なる針小』というエッセイ集が翻訳で出て
います。奇妙なタイトルに思えますが、原題を直訳すると「巨
大な些事」という感じになります。つまりささいなことに大
きな意味を見いだすということ。

　些細なことを大げさに言うことを針小棒大と言いますね。
小さな針を棒だと言い張る、ものごとを誇張するという本来
マイナスの表現です。ですが棒大なる針小とは、まさに巨大
な些事ということで、とても正確でしかもうまい翻訳ですね。
「棒大なる針小」というエッセイがあって、それがエッセイ集
全体のタイトルになっています。

　内容をかいつまんで紹介しましょう。チェスタトンはふた
つの人間のタイプを想定しています。ひとつは、まるで巨人
になって、あるいは空を飛んで、山を越えいろいろな冒険を
したい、というタイプ。もうひとつのタイプは、むしろ小さ
い存在になりたいと願う。

> 彼は、前々から身の丈一センチほどの小人になりたかったと
> 言ったのだ。（中略）さて変身が終わると、彼は、自分が広大
> な平原の真只中にいることに気がついた。その上は高い緑の
> ジャングルにおおわれ、ところどころ間をおいて、変てこな
> 木が立っている。（中略）この平原の真中あたりには、まった
> くもって不可思議な信じられないような恰好の山がそびえて
> いて（中略）はるか彼方かすかな地平線上には、もう一つ森
> の輪郭が望まれる。彼はこの彩り豊かな平原横断の冒険に出
> かけた。そして、いまだにその終りまで到達していない[18]

　これは何の描写か分かるでしょうか。自分の家の庭なんです
ね。いつも見慣れた、雑草が生えていたり小さい木が植わっ
ている庭なんだけど、小人になってそこに放りこまれるとこ
ういう風に見えるはずだと。チェスタトンのものの見方とか
考え方とはこういうものです。俯瞰するのではなく腰を落と
し目線を低くして、ということをしばらく前に言いましたが、
それと同じですね。空飛ぶ鳥の目線に対する、地を這う虫の
目線です。

> われわれは、現に目の前にある事実に激しいくらいの注意を
> 向けることによって、その事実を冒険と化すことができるの
> ではなかろうか、事実にその予定を放棄させ、秘めたる目的
> を全うさせることができるのではなかろうか。[19]

18　G・K・チェスタトン『棒大なる針小』** 別宮貞徳・安西徹雄訳、春秋社、1999 年、
178 ～ 179 頁

19　同上 180 頁

「事実にその予定を放棄させ」るとはどういうことでしょうか。この後挙げるシクロフスキーなどとも関わってくると思いますが、私たちはふつう生活しているとき、モノをその目的・用途の観点から見ています。ボールペンは書く文房具であり、テーブルは飲み食いするための家具であるというように。それがモノの「予定」です。だけどそうではなくて、ひたすら「激しいくらいの注意」を向けてボールペンを見つづけていたら、目的から自由になったボールペンが見えてくるんじゃないか。モノは二度あらわれる、二度目は一度目とは違う、いつもと異なるあらわれ方をする、というのはムージルも言っていたことです。

◆

　ここで、文化人類学者メルロ＝ポンティの『世界の散文』の編者、クロード・ルフォールという人の言葉を引用します。この本の前書きからで、メルロ＝ポンティの言葉ではありませんが、とても端的で含蓄のある言葉です。

　　平凡な散文は、月並みの記号によって、すでに文化のなかに
　　一定の位置づけを与えられている意味に触れるだけである。

つまりすでに何度も言われているようなことを再確認するような文章ということですね。「月並みの記号」、ありきたりの表現をちょっと工夫して、気の利いたことを言う。ただし新しい発見はこれと言って何もない。言葉の本来の意味を離れて一般化してしまったエッセイはここに含まれるかもしれません。

　　偉大な散文とは、その時まで客観化されることのなかった意
　　味をつかみ出し、同じ言語体系（ラング）を話しているすべ
　　ての人がそれに近づきうるようにする技術のことなのだ。[20]

ポイントは「すべての人」というところでしょうか。散文は閉じていない。凝っていたり難解だったりして読む人を選ぶのではなく、その言語を話している人であれば誰でも（現実にはなかなかそうは行かないでしょうが）アクセスできるよ

20　M・メルロ＝ポンティ『世界の散文』滝浦静雄・木田元訳、みすず書房、1979 年、4 頁

うなふつうの言葉で書く。にもかかわらず、そこにあったはずなのに誰も気づいていなかった意味を発見し、伝える。

　私なりに敷衍するなら、書き手だけが知っている発見があって、それを分かりやすく伝えて「あげる」、ということではない。そこにあったはずなのに誰も気づいていなかったことを、彼は見つづけることで発見した（二度目のあらわれ）。その発見は、彼が見つづけていたときの具体的な状況と不可分に結びついているので、その様子と一緒に語るしかない。それは自然と、誰にでも近づくことができる表現をとるのではないか。ムージルの言う、その時限りの決定的な形態ということも、これに通じていそうです。

◆

　それではロシアの批評家ヴィクトル・シクロフスキーの『散文の理論』に移ります。早速引用しますが、これまでの流れを踏まえると、彼の言うことは自然に耳に入るのではないでしょうか。

　　　それだからこそ、生の感覚を回復し、事物を意識せんがために、石を石らしくするために、芸術と名づけられるものが存在するのだ。

　つい先ほどボールペンやテーブルの話をしましたが、あれと同じですね。「石を石らしくする」。ただボールペンの目的ならまだ分かりやすいですが、石となると、邪魔だからどけようとか、せいぜい石垣にしようということで目を止められるくらいで、普段は存在を意識さえされないでしょう。そんな石について、「そこに石がある」ということをはっきりと意識させる。文学の仕事とは詰まるところそれだとシクロフスキーは言います。

　　　知ることとしてではなしに見ることとして事物に感覚を与えることが芸術の目的であり、日常的に見慣れた事物を奇異なものとして表現する《非日常化》の方法が芸術の方法であり（後略）[21]

　　　イメージの目的は、その意味をわれわれによりよく理解させることではなくて、対象の独特な知覚を創造すること、つまり、

21　Ｖ・シクロフスキー『散文の理論』水野忠夫訳、せりか書房、1983 年、15 頁

対象を《知ること》ではなくして、《見ること》を創造するこ
　　となのある。[22]

知ることとか理解というのは、モノを目的や予定の観点から
捉えることでしょう。そうではなくて見ること。ここでも「見
る」ということが強調されています。見慣れた事物を奇異な
ものとして表現する「非日常化」とか「独特な知覚」の創造
とはもうお分かりのように、石を石らしく、ボールペンをボー
ルペンらしくし、モノに二度目の登場のチャンスを与えるこ
と。これはよく「異化」効果と言われるものです。

22　『散文の理論』26 頁

◆

　ここからはあらためてモンテーニュについて、あるいは『ミシェル　城館の人』という著作でモンテーニュの人と作品を取り上げた堀田善衛についてお話しします。入り混じってしまって、どちらの話をしているのかよく分からなくなるかもしれませんが、どちらかというとモンテーニュを引用する堀田について、という感じになるかもしれません。

　ミシェル・ド・モンテーニュは 16 世紀後半を生き、エッセイというジャンルの生みの親となった人。堀田善衛は戦後すぐ小説家としてデビューしましたが、その後非小説的作品が増えていき、『ミシェル　城館の人』を晩年の 1994 年に完成させました。ミシェルとはもちろんミシェル・ド・モンテーニュのことです。

　モンテーニュはよく、ルネサンス期に活躍したエッセイストなどと言われます。「ルネサンス期」の「エッセイスト」と聞いて、とくに文学や歴史に興味のない人がどういうイメージを思い浮かべるか分かりません。ひょっとしたら、上品で洗練されたスタイリスト（スタイルとは様式のことです）といった感じでしょうか。ですがモンテーニュが生きた時代は、ルネサンス期であると同時に宗教戦争の時代でもあり、また新大陸発見からもまだそう間もない時期で、それまでの価値観がガラガラと崩れた危機と混乱の時代でした。

　宗教戦争は、フランスではユグノー戦争というかたちで 1562 年から 1598 年まで続きましたが、モンテーニュは 1533 年に生まれ、1592 年に亡くなっています。それどころか彼は、1581 年から 85 年までボルドーの市長を務め、穏健なカトリックの立場から、カトリック派とプロテスタント派の融和に腐

心したのです。

◆

　堀田善衞が『方丈記私抄』という本を書いたことは少し触れました。『方丈記』を書いた鴨長明にしても、出家して山奥の小屋に隠棲したひとが、つらつらと思索にふけったことを書き記したものだ、くらいのイメージではないでしょうか。『方丈記』と言えば日本三大随筆のひとつなどと言われるようですが、エッセイの訳語にも使われるこの随筆という言葉も、誤解されがちだと言えそうです。

　鴨長明は、例えば1181年に発生した大飢饉に触れ、鴨川の川べりが死体であふれるほどで、仁和寺の僧が死体を数えたところ、京都の左京だけで42,300人だったと報告しています。いっぽう堀田善衞は『方丈記私記』を、報道に基づく東京大空襲についての数値を伴う具体的な報告で始めます。そして目黒区洗足から、空襲の中心らしき深川方向の空を見上げ、そこにいるはずの「一人の親しい女」を思っているときに、『方丈記』の一節が脳裏に浮かんだという「経験」を書きます。彼にとってこの本は、鑑賞や解釈ではなく自分の経験なのです。東京大空襲直後、堀田は中国に赴任、そのまま上海で終戦を迎えると帰国できなくなり、中国国民党に雇われて新聞や雑誌に執筆などして、数年経ってから日本に帰ってきました。この混乱のなかでも彼はおそらく色々なものを見てきたでしょう。

◆

　まずは、堀田の『ミシェル　城館の人』の文章を感じても
らいたいということで、第1部第14章から。混乱するかもし
れませんが、そのまま引用します。〈　〉の中がモンテーニュ
の『エセー』からの引用で、その後が堀田の言葉です。

　　〈われわれに本当らしくないと思われるものを軽蔑し、これを
　　偽りだときめつけるのは、愚かな思い上りであって、これは
　　普通一般の人たちよりも知恵があると自負する人にありがち
　　な癖である。私もまた昔はそんな風であった。〉

　　私もまた昔はそんな風であった。……[23]

面白いのは堀田の「私もまた昔はそんな風であった。……」
という繰り返しです。「……」は省略ではありません。本当に
原文がそうなっています。
　もうひとつ似たような箇所。やはり〈　〉内はモンテーニュ
の引用で、その直後、堀田の言葉が続きます。

　　〈(前略)納得出来ない場合には、少なくともそれを未決のま
　　まにしておかなければならない。なぜなら、それをあり得な
　　いことときめつけてしまうのは、可能性の限界を知っている
　　と自惚れる、大それた思い上がりだからである。〉

　　納得出来ない場合には、少なくともそれを未決のままにして

23　『ミシェル　城館の人　第一部』203頁

おかなければならない。……[24]

また「……」です。こういう文章を読んだことがありますか？
　この文は次のように続きます。

　　未決のままにしておこう、などと言い出す思想家を果たし
て思想家と呼べるものであろうか。思想家とは、一定の原理
原則にもとづいて、人間精神の運動をどこまでも解明して行
く者のことを言うのではなかったか。
　　世に理論的解決と言われるような解決は、掃いて捨てるほ
どにもあるものであったが、その多くは理論の上だけの、単
なる辻褄合せにすぎない。
　　現実には、多くの思想家もまた、多くの〈未決のまま〉の
思想的課題を抱えて生きているのであり、しかも多くは、〈未
決のまま〉のものを、墓場にまで持ち越して行ってしまうの
である。〈未決のまま〉の課題を持たず、すべてが解明された
と思考し得る思想家は、思想家などとは到底言えないであろ
う。それこそ怪異、奇蹟と呼ぶべきである。〈私もまた昔はそ
んな風であった。〉
　　未決のままのものを多く抱え込んだ思想家は、往々にして
懐疑主義者と呼ばれがちである。けれども、ある重大な疑問
があるとして、それを性急に解決しようとする、解決のため
に解決をする思想家があるとすれば、そういう思想家は懐疑
主義者とさえ呼ばれはしないであろう。ニーチェのように、「神
は死んだ」と断言することだけが思想家の任務なのではない。
　　〈未決のまま〉にして、それを胸中に置いたまま生きること
の方が、はるかに勇気を要するのである。[25]

24　同上 205 頁
25　同上 205, 206 頁

「私もまた昔はそんな風であった」を堀田はこの近辺で何度か繰り返しています。しかもここでは少々強引に、前後から浮いた異物のようにはめこんでいる。この言葉のどこに彼はそんなに引っかかったのでしょうか。

　内容ももちろん重要なのですが、私は堀田の文章のこういう感じに惹かれます。美文ではない、いや美文を書こうなんてはじめから思っていない。一定の調子で続くのではなく、どこか不均一な感じがする。まるで考え立ち止まりながら書いているかのような文章。もちろんすでに言ったように、考えている様をそのまま書くことはできないんですが、時間をかけ、工夫し推敲してそういう書き方をしている。

◆

　次に『ミシェル　城館の人』の第２部第３章に触れます。
ここで堀田はモンテーニュの文体について考えます。

　　　ではもう一度、彼（モンテーニュ）の言う〈自然な態度〉
　　で書いて行ける形式、あるいは文体とはどのようなものであ
　　るか。
　　　この頃の書物は、書簡の形をとったものが非常に多かった。
　　エラスムスにもそれは多くあった。勿論、論文調のものも多
　　くあった。説教調も流行していた。それに、詩や韻文は彼の
　　得意とするところではなかった。ギリシャやローマの学者た
　　ちのものの書き方には、彼は言うまでもなく精通していた。
　　　けれども、古代の賢人たちの時代とは、すでに遠く距りが
　　あり、彼等の文体や形式を模倣したり踏襲したりすることよ
　　りも、もっと他の、もっと人間にとって親しみやすい形式が
　　ありうるのではないか。

　　〈私は万事談話風に語る。何一つ意見（あるいは論説）風には
　　述べない。〉

　最後のモンテーニュの言葉は、このお話の冒頭で私も引用し
ました。
　ただ「自然な態度」と言っても、モンテーニュは推敲に推
敲を重ねて書いた。しかも彼は『エセー』を最初に刊行して
からも何度も手を加えました。面白いのは、その改稿の仕方
が主に書き足す、というかたちを取っているらしいことです。
よい文章を書くにはできるだけ削ること、とよく言われます
が、その逆ですね。
　そして堀田はこう締めくくります。

かくて彼の懇談、懇話、あるいは読者との対話調の形式、文
　体が案出されて来たのであった。[26]

　モンテーニュだけでなく、モンテーニュの伝記を書く堀田善
衛も、やはりそういうものを目指している。例えばモンテー
ニュを研究する大学の先生がいるとして、その人は研究者と
して論文を書く以上、モンテーニュのような書き方を試みる
わけには行きません。しかし堀田善衛は、作家としてそれを
試みているということになります。

26　『ミシェル　城館の人　第二部　自然　理性　運命』67頁

◆

『ミシェル　城館の人』第２部第７章に行きます。

> 最悪の時代にあって、人間の自由などという理念もまた、い
> まだまったく成立してなかったのである。同じキリストの名
> において、殺戮の限りをつくしていた王侯貴族どもには想像
> もつかなかった、思想変革がなされている、これはその現場
> の一つなのであった。見事なルネサンス人である。たとえ時
> 代がそれ自体として最悪であったとしても、絶望の必要はな
> い。[27]

　モンテーニュが生きたのは、ルネサンスという時代であると
同時に宗教戦争の時代でもありました。宗教戦争という、そ
れまでの価値観の基礎が崩壊し、正義と正義がぶつかりあっ
て大量殺人が行われる状況下で、どちらかの立場を選ぶので
はなく自分自身で考え続けたからこそ、モンテーニュの思想
や文体が生まれたとも言えるでしょう。
　「たとえ時代がそれ自体として最悪であったとしても、絶望
の必要はない。」これは広津和郎の、「どんなことがあっても
めげずに、忍耐強く、執念深く、みだりに悲観もせず、楽観
もせず、生き通していく」という言葉とも響き合います。
　第２部第２章にはこんな言葉もあります。

> 最悪の事態をも、客体化し、相対視することは、そこにある
> 種の〈中立の地域〉を見出すことであり、その中立の地域は、

27　同上 129 頁

心の余裕をも生み出すであろう。[28]

最悪の事態を相対視するというやり方は、人によっては許せない、批判すべきやり方かもしれません。しかしこれは、少なくとも私などには想像もできないような最悪の状況下で、逃げ出すことなく踏みとどまるために、ギリギリのところで編み出された生き方だということを考えないといけないでしょう。繰り返し言いたいのは、エッセイとはもともとそういうところから生まれたものだということです。

---

28 『ミシェル　城館の人　第二部　自然　理性　運命』47頁

◆

　モンテーニュと堀田善衛についてはこの辺にして、島尾敏雄という作家に移ります。代表作は『死の棘』という長編小説。

　島尾敏雄は第二次大戦中、特攻兵として奄美にいました。特攻といっても飛行機ではなくて爆薬を積んだボートです。そして1945年8月13日に出撃命令が下って待機したまま、8月15日の終戦を迎えました。

　奄美ではミホという島の女性と恋愛関係にありました。戦争で本土からやってきた隊長と、島の長の娘との、死ぬことを前提にした恋愛。にもかかわらず、ほぼ死が確定したと思ったところで生き残ってしまい、結婚して本土で生活を始める。そして夫の浮気が発覚し妻が精神的に異常をきたし、妻による地獄の詰問の日々が始まります。

　『死の棘』はそういう現実にあったことをほぼそのまま（実際はそんなことはないのですが）作品化した私小説だということで、その暗澹とするような内容だけが注目されがちです。しかし私は、「事実」をひたすら見つめ言語化する島尾の文体に惹かれます。

　事実そのままと言っても、そんなこと簡単ではないかと思ってはいけません。事実は事実としてすでに目の前にはっきりあるというのは間違いで、ひたすらそれを見つめ言葉にしようと努めるうちに、ようやくそれがどういうものだったのかが、言ってみれば「あとから」分かる。「そうだったのか」という感慨とともに遅れてやって来る発見のようなものです。

　島尾の作品には、あとから分かる、という状況が繰り返し出てきます。その瞬間を生きているときには見えなかったことが、事後的にはっきり見えてくる。（これは時間の働きによ

るものですが、同じことを芸術的に実現すると、シクロフス
キーの言う「見ることを創造する」ということになるのでしょ
う。）ただ作品においては、それはほとんど後悔というかたち
を取るのですが。

> からだをそこらにぶつけて泣き叫びたいような寂しさだ。い
> つも取りかえしのつかぬ過ぎ去ったあとでしかそのことのい
> みに気づかず、現在はいつも手さぐりで無我夢中だ。[29]

ただ、生きていく上では手おくれだったかもしれませんが、
作家としては取り返しがついている。作家とはそういうした
たかなものです。最終的には、作品というかたちでプラスに
してしまう。もちろん、そうそう狙ってできることではなくて、
自分にできること、自分の素質に適っていることをするとど
うしてもそうなってしまう、ということでしょうが。

29　『死の棘』317頁

◆

　『死の棘』の文体を、島尾だって初めから持っていたわけではありません。妻との困難な日々のことはすぐに作品化し始めていますが、文体が定まるのに 5 年くらいはかかっています。そうして徐々に完成されて行った島尾の、対象をさぐるような文章について、私は以前「変拍子的リズムを感じさせつつ長く延びる」[30]文体と書きました。

　散文とは詩のような規則なしに自由に書かれたもの、というもっともおおまかな定義をしばらく前に言いました。ですが島尾に言わせると、日本人は「自由に」文章を書こうとすると知らないうちに七五調になってしまう。それに違和感を感じる彼は、意図的に七五調を崩そうとします。そのときひとつの手がかりになっているのが、例えば沖縄の古い歌を集めた『おもろさうし』です。『おもろさうし』に多く出てくる形は、七五調ではなく八・八・八・六だと言われます。

　既に言った、喋るように書くということも、定形を崩すということに関わってきます。おしゃべりというのは、長い文が来たと思ったら短い文に切りかわったり、ざっくばらんな言い方をしたかと思えば、ちょっと固ぐるしい言い方になったり、整っていないものです。それをそのまま文字に起こしたら決して演劇や映画のセリフのようにはならないでしょう。

　また、詩に対する島尾の考えも面白いものがあります。島尾は、ごくごく若い頃にご多分にもれず詩に手を染めましたが、その後一切詩を書きませんでした。しかし彼は、詩は書

30　満留伸一郎「《離脱》の前後——島尾敏雄《家の中》について——」(『東京藝術大学音楽学部紀要第 34 集』2008 年、5 頁)

かなくても利用はしたと言っています。彼は気に入った詩の
単語などの「断片」だけを借用する。詩の中にあって「異様
な重さと輝き」を感じさせる言葉を、「あとさきから切りはな
して」自作品に封じこめる。散文は雑多な要素から成り立っ
ています。論文でも詩でも、会話っぽい会話でもありませんが、
それらの要素を部分的に取りこむのです。

　私が「変拍子的リズム」という言葉で言いたかったことは、
以上のようなものがあいまってできているのでしょう。「平凡
な散文は、月並みの記号によって、すでに文化のなかに一定
の位置づけを与えられている意味に触れるだけである」とい
う言葉を引用しましたが、月並みということでは七五調もそ
うです。パターン化したリズムは、自由に考えようとしても、
月並みな記号を呼び寄せてしまうのではないでしょうか。

31　『島尾敏雄全集第 14 巻』297 頁

32　同上 315 頁

　　　　　　　　　　　　◆

　島尾には、小説であれ、自作について語った文章であれ、「過程」という言葉がよく出てきます。彼は、物語らしい起承転結という流れからも外れたいらしく、彼の作品では突然ある状況が始まり、解決らしい解決もないままに終わります。そういう方法論で書かれているから、『死の棘』の暗澹とした印象はまた強められるわけですが。「その場その場で、事態が展開する目の前に見えるだけの状況に応じて、日々を処理していくやり方[33]」というのは、『死の棘』の中の言葉です。奥さんがおかしくなって、金も底をつきかけているが、かといって子供と妻を残して出かけることもできず、とにかく、先のことを考えず目の前のことを一つ一つ、その都度こなしていくしかないという絶望的な状況。チェスタトンについてのところで、俯瞰や鳥瞰ではなく虫の目線を、ということを言いましたが、明らかに島尾にもそういう傾向があり、このあと引用する文章の中にも、「頭を低く目を据え」るという表現が出てきます。今引用した箇所は、状況によって不本意に強いられたやり方のように見えますが、現実の島尾が完全にそんな状態だったとは考えづらく、「その場その場で、事態が展開する目の前に見えるだけの状況に応じて」というのは、実は『死の棘』という作品で島尾が発見した見方、書き方を暗示しているのではないかと思います。島尾敏雄は、とにかく徹底的に俯瞰した視点を取ろうとしない作家でした。

_____

33　『死の棘』70頁

　　　　　　　　◆

　なぜ島尾がかたくなに視線を低く保とうとするのか、それ
は目の前のものをひたすら見るためなのでしょう。以下は私
がしばらく前に島尾敏雄について書いたものからの引用です。

　　『死の棘』の文章は、確かな手ごたえのある対象がそこにある
　　と判断するや、ディテールを刻もうと定型をはみ出しながら先
　　へと先へと延びる。それがくどくなるかと思うところでさらり
　　と切り上げられてみると、むしろ結果的には簡潔だったと思え
　　るほどあざやかに対象を切り出している。そのとき対象は、モ
　　ノであれ風景であれ感情であれ、ある「かたさ」を持った実体
　　のように立ち現れ、しかもその「単に正確で抽象的」に表現さ
　　れただけであるはずの対象は、「私」の内面にぴたりと照応し
　　ているのである。このようなやり方で『死の棘』の全体が表現
　　したものとは、あるひとつの世界の明瞭なすがたであると同時
　　に、「私のこころとからだのかたち」でもあった。[34]

「世界のすがた」であれ「私のこころとからだのかたち」であれ、
それは良いとか悪いとかいう評価の対象ではありません。た
だそういうものとして、読者に示されている。最初にそれを
突きつけられたのは、書いている島尾本人だったでしょうが。

34　「《離脱》の前後」11頁

◆

　次は『死の棘』からの一文です。もののかたちが見えてく
る例として適切かどうかは別として、島尾の文章の調子を感
じてもらいたいので、長いですが、極端なはなし内容につい
てはあまり考えず、音として読んでみてください。

　　今がよい機会だからそれをはっきり書き留めておこうと、頭
　　を低く目を据え、あらわれた意味をつかまえるためこころを
　　くだくのに、一向に成功しそうにない。それはかたい核となっ
　　て脳のなかに投げこまれる当初のうちに、まを置かず、すく
　　い取ろうとするといち早く、溶けてひらたく流れてしまう。
　　（中略）だめだ、だめだ、とあせっていると、胸がおさえつけ
　　られ呼吸が苦しくなった。意識が引きちぎられる感覚がまた
　　かえってきて、限界に追いつめられるとこうなる、と思った。
　　これが持ちこたえられなければ、引っくりかえって向こうが
　　わに行ききりになり、ばらばらにされてしまう。そうなれば
　　もうふだんの場所にはもどってこられないかもしれない。自
　　分まで分裂症に落ちこんでしまえば、残されたこどもはどう
　　なるかと思うと、すんでしまったおだやかないつかの日の妻
　　とこどものすがたが眼の底にあざやかによみがえるが、しか
　　し二度とふたたびその過去の日に立ちかえれない事実が胸を
　　しめつけてきて、急激に寂しーいきもちに襲われた。[35]

一見物々しいんですが、ひらがなの多用（何を漢字にし何を
ひらがなにするかのルールも読者にはまず分かりません）で
その印象をはぐらかし、淡々と長く続く文章に、読点の不均
一なタイミングで流れをあたえ、段落替えなしに一気に続く

35　『死の棘』316〜317頁

ので読者が息切れしそうになったところで、いきなり調子の
まったく違う「寂しーい」という言葉を放りこむ。拍子抜け
するような、どこかひょうきんな感じでありながら、本当に
寂しそうな感じも伝わります。

◆

　島尾敏雄についてはこの辺りにし、そろそろお話を終えたいのですが、ここで突然写真についてお話しすると、いかにも唐突で面食らう方もいるでしょうか。たまたま私が写真が好きであり、写真についても少々書いたりしているからかもしれませんが、散文というものを考えるとき、写真、あるいは写真について書くこととのつながりがあるような気がするのです。

　私がとても惹かれる写真が、まさにシクロフスキーの言う「石を石らしく」とらえている写真だからかもしれません。そういう写真がなぜ良いのかと聞かれると、そこに石があると強烈に感じられるから、と言うしかないのです。

　写真論といえば必ず出てくる、写真論の古典（刊行された
のは 1980 年）に、ロラン・バルトの『明るい部屋』という本
があります。この『明るい部屋』が、写真についてどうにか
語ろうとして、はからずも散文に近づいているように思えま
す。

　石は石であり、そんなことは誰でも「知って」います。しかし、
ある写真を見て「そこに石がある！」ということを強く感じ
るとき、その感じはなかなか人に伝えられない。なぜならそ
れは、石が石であると言うしかないので、そんなことは誰で
も分かっているからです。

　バルトが出発点とする体験には色々ありますが、もっとも
強烈なのは、亡くなった母親の写真です（どれでもよいわけ
ではなく、彼はある一枚の写真を発見します）。そして、ここ
が散文の散文たる所以なのですが、バルトは本の冒頭でひた
すら、この強烈な体験を説明したい、しかしそれができない、
それはなぜなのだと悩むのです。

　写真論の古典でありながら、『明るい部屋』はプロの写真家、
芸術家による写真を扱いません。扱っても、それは芸術作品
としてではありません。芸術にはそれを楽しむためのルール
と言いますか文脈があるのですが、そういうものはある程度
一般的に共有可能です。しかしある写真が彼に与える強烈で
個人的な体験は、そういう説明可能な文脈とは別のところに
ある。ＡはＡだ、と言うしかないのです。

　この「一種の居心地の悪さ」についてバルトはこう語ります。

　　それは主体が（中略）表現的言語活動、もう一つは批評的言

　　　語活動の板ばさみになったとき感ずる居心地の悪さ（中略）
　　　である。[36]

　この「表現的言語活動」と「批評的言語活動の板ばさみ」と
いうのは、少し戻りますが、ムージルが言った「真理を欲す
るものは学者となり、おのれの主観をおもむくがままにしよ
うと欲するものは、おそらく作家になるだろう。だが、その
中間にあるものを欲するものは、何をなすべきか？」、という
文章とゆるやかにつながっている気がします。「表現的言語活
動」というのが作家だとしたら、「批評的言語活動」が学者に、
ぴったりではないけど対応する。で、写真がもたらす強烈な
体験について語ろうとするとそのどちらも役に立たない。
　なぜならそれは、ＡはＡだという同語反復的な、これ以上
ないほど客観的なことでありながら、あくまでも個人的なも
のだからです。人に伝えられない、伝わらない客観性とでも
言えばいいでしょうか。
　ここで、このお話の第Ⅲ部で引用したバルトの言葉に戻る
ことになります。

　　　いったいなぜ、いわば個々の対象を扱う新しい科学がないの
　　　か？なぜ（「普遍学」ならぬ）「個別学」がないのか？

「唯一の存在を扱うありえない科学というユートピア」とも彼
は言います。同じことが同じ条件下なら何度も繰り返される
と考えるから、そこから論理ができて科学になる。一回きり

36　『明るい部屋』14 頁

の存在に科学は成立しないはずですが、バルトは、写真について語れないもどかしさから、たった一回きりのことについて扱う科学がなぜないのか、と言っているわけです。

　この個別学というものも、ムージルの言うエッセイと関りがありそうです。「エッセイとは、ある人間の内的な生が、決定的な思考をした際に取る、一回限りの揺るがしがたい形態である。」「決定的な思考」だけれどもそれは一回きり。だからエッセイは、身勝手な主観でない、何か確実なもののはずなのだが、かといって、客観的な、普遍的に伝わるような論理でもない。

　　その科学の名前は大して問題ではないが、ただその科学は、
　　私を還元することも圧殺することもないような、ある一般性
　　に到達するのでなければならない。[37]

私を、ということは個々の存在を還元したり圧殺したりしない一般性などというものはあり得ないはずです。一般性は、個から規則に当てはまらない要素を切り捨てることで成り立つのですから。でも写真には、写真があたえる体験には、そういうことを求めさせる何かがある。つまり詩でも論文でもない何かを求めさせる何かがあるということです。

37　『明るい部屋』28頁

最後に、冒頭で引用したケネス・クラークの言葉を再引用して終わりたいと思います。そこでも言ったようにこの言葉は、13世紀の教会の柱頭装飾に関する言葉ですが、まさに写真というものの、あるいはここまで雑多な方向から光を当てようと試みてきた散文というものの本質をついているような気がするからです。

　　その表現の逐語訳的正確さとかスタイルの欠如は、これらが
　　初めて人に見られたものであることを証明する。

対象の正確な描写というものが、昔から普遍的にあったと考えてはいけません。ひとは常にある価値観に基づいた見方をしてきた。当時ならキリスト教でしょうか。しかしこの柱頭を作った人びとは、対象が正確に見えるという初めての体験をして驚き、それを形にした。だからその正確な表現には彼らの驚きが表れている。

　逐語訳的正確さとスタイルの欠如ということなら、ある程度客観的に説明できるし、実現もできそうです。ですがこの対象は初めて見られたのだ（モノの二度目のあらわれ）という感覚をあたえるものになるかどうか。ここの間には決定的な飛躍があって、どうにかこうにかそれを橋渡ししようとするのが散文なのかもしれません。

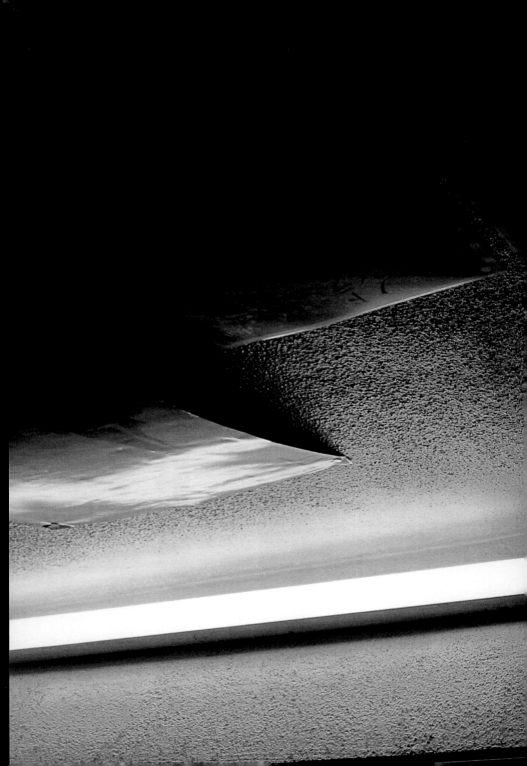

IV 掲記書籍

*

広津和郎
『散文精神につ
いて』
本の泉社、2018

**

G.K.チェスタトン
著、別宮貞徳、
安西徹雄　翻訳
『棒大なる針小』
春秋社、1999

あとがき

　この『散文へのプロセス』は、2017 年 9 月に 3 回に分けて行われた、D の 3 行目主催によるプロセス解明講座のうち、第 1 回と第 3 回をまとめたものです。

　とは言え文字起こしされたものは、少々手を入れただけではとても読めるものではありませんでした。ですから、一見話したままを収録したような体裁になっていますが、今回まとめるにあたりほぼすべて書き直しました。もちろん組み立てるための材料はすでにあるので、一から書くのに比べればはるかに時間も手間もかかりませんでしたが。

　自分が惹かれる文章に、ある種の傾向があることに気づいたのがいつ頃だったのか、それが散文という言葉でまとめられるのではないかと考えるようになったのがいつだったのか、今となってはよく分かりません。専門とするオーストリアの作家ムージルのエッセイズムという概念が、当然源のひとつのはずです。ということは端緒はほぼ 25 年も前にあったということになります。

　好きな日本の作家はと問われてもそれまではっきり答えられなかった私が、島尾敏雄を発見し、先輩宅を訪ねる前に立ち寄った古本屋で、一巻欠けた不完全な島尾敏雄全集を買ったのはいつ頃だったでしょうか。おそらくその島尾がきっかけで小川国夫に関心が行き、当時まだ存命だった小川が住んでいた藤枝にふらっと旅行した際、なぜか写真を撮ることが楽しくなり、その後しばらくあれこれカメラを買ったりしていました。

　近代の芸術観というものに関心を持つようになったのは、留学先で見つけた本を訳し始めてからですから 2002 年以降ということになります。

　その後、写真を撮ることはまったくうまくなりませんでしたが、見るのは好きで、島尾敏雄の長男である島尾伸三さんの写真が好きになり、伸三さんとは個人的に知り合うことができました。伸三さんの仲介で島尾敏雄に関する本に寄稿することになり、そこで散文という言葉に意識的になったようなので、思えば不思議なものです。

　ですがこの大きすぎるテーマをまとめることはなかなかできず、まあそれはテーマもさることながら、自分が怠惰すぎてなかなかまとめるに足る材料を集めきれないという理由が一番大きいのですが、ちょっと書きだすとなぜ

かしらけて書く気が失せていく、ということを何度か繰り返しました。

　昨年亡くなられてしまった恩師の池内紀先生になんとなく相談したこともありましたが、これはかたちにはならんな、と思われたはずです。

　一昨年だったか、池内先生に、島尾伸三さんの写真について書いた短い文書を送ったところ、感想のハガキが届きました。写真をこんな風に読む見方もあるのかと新鮮だった、と一応ほめていただいた一方で、正確であるだけ少しまだるっこしいのではないか、という言葉を読んだとき、むしろ私は、やり方はこれで間違っていないのかな、と自信を持ったのを覚えています。しかしそのことをお伝えすることはできませんでした。今なら、自分の考える散文というものをもう少しうまく分かっていただけたかもしれませんが。

　こんな風に、ここ20年のもろもろが偶然あちらこちらでつながって自分なりの散文感ができあがって行きました。

　Dの3行目から講座をまとめてほしいという依頼を受けたときは、本当に気が進みませんでした。読むに堪えるものになるとはとうてい思えなかったからです。最終的には、最初に書いたように全面書き直すということでどうにか折り合いをつけました。

　考えてみれば、材料も力も不足しているのに気負いだけがあったのでしょう。本文ではなんだかんだ言っていますが、そういう自分自身が、かっこいい文章を書こうとかいう考えにとらわれていて、その気負いと散文というテーマとの齟齬が、書きだすと書く気が失せるという結果につながっていたのかもしれません。

　あるだけの乏しい材料で、語る調子で書く、という必要に迫られてのやり方は、結果的に正解だったのでしょう。Dの3行目の皆さんには感謝しています。

　2020年は、とても独特な世界的規模の危機的状況になりましたが、日本に限っても、信じがたい危機的状況は思わぬ高い頻度で起こっています。考えてみれば、ここしばらくのそんな状況下で、「みだりに悲観もせず」「心の余裕」を得ようとして散文精神なるものにたどりついた、というところもあります。ここに書いてきた個人的な経緯もさることながら、その背景には近年の大きな状況というものが常に作用していたのだと思います。

著者

満留伸一郎

ドイツ文学者、ドイツ文化研究家、翻訳家
1973 年鹿児島県薩摩川内市生まれ
1997 年東京大学文学部卒業
2007 年東京大学大学院人文社会系研究科博士課程単位取得退学
R・ムージルを中心とするドイツ文学、ヴァイマール期ドイツ写真、島尾敏雄などに関する論文、
エッセイのほか、訳書に W・ウルリヒ『不鮮明の歴史』、『芸術とむきあう方法』（ともにブリュッケ）、
K・コリーノ『ムージル 伝記 2・3』（共訳、法政大学出版局）などがある。

書名：　　　　散文へのプロセス

発行日：　　　2021 年 1 月 19 日　　第一刷発行

著者：　　　　満留伸一郎

編集：　　　　D の 3 行目

発行：　　　　合同会社 D の 3 行目
　　　　　　　連絡先：　〒 101 － 0021 東京都千代田区外神田 6-11-14
　　　　　　　　　　　　3331 Arts Chiyoda 312B
　　　　　　　TEL：03 － 5577 － 7883
　　　　　　　URL：http://dno3.co.jp